水利国际招标工程概算
编制方法指南

黄河水利出版社

图书在版编目(CIP)数据

水利国际招标工程概算编制方法指南/水利部水利
建设经济定额站编.—郑州:黄河水利出版社,2005.8
ISBN 7-80621-961-7

Ⅰ.水… Ⅱ.水… Ⅲ.水利工程-招标-概算编
制 Ⅳ.TV512-62

中国版本图书馆 CIP 数据核字(2005)第 099736 号

出 版 社:黄河水利出版社
　　　　　地址:河南省郑州市金水路 11 号　　邮政编码:450003
发行单位:黄河水利出版社
　　　　　发行部电话:0371-66026940　　传真:0371-66022620
　　　　　E-mail:yrcp@public.zz.ha.cn
承印单位:黄河水利委员会印刷厂
开本:850mm×1 168mm　1/32
印张:1.25
字数:23 千字　　　　　　　　印数:1—1 100
版次:2005 年 8 月第 1 版　　　印次:2005 年 8 月第 1 次印刷

书号:ISBN 7-80621-961-7/TV·416　　　　　定价:8.00 元

水 利 部
水利水电规划设计总院文件

水总造[2004]1号

关于印发水利国际招标工程概算编制方法指南
及水利国际招标工程概算参考资料的通知

各有关单位：

为满足水利工程利用外资实行国际招标项目概算报告的编制,规范水利国际招标工程概算编制方法,合理确定水利国际招标工程投资,水利部水利建设经济定额站编制完成了《水利国际招标工程概算编制方法指南》及典型工程编制外资概算参考资料。可请各设计单位及有关部门在工作中参考。在使用过程中若有修改建议和需要解释的内容,请与水利部水利建设经济定额站联系。

联系地址:北京市西城区六铺炕北小街2-1号

联 系 人:程瓦

电　　话:62033377－4182

附　　件:水利国际招标工程概算编制方法指南

水利部水利水电规划设计总院

2004 年 4 月 29 日

主题词:水利工程　概算　编制　办法　通知

水利部水规总院办公室　　　　2004 年 5 月 8 日印发

主编单位　水利部水利建设经济定额站

主　　编　宋崇丽

副 主 编　韩增芬　胡玉强

编　　写　宋崇丽

目　　录

1. 总 则

1.0.1 为了合理确定利用外资进行国际招标的水利工程项目投资,现根据国际惯例的做法,结合我国水利工程的特点,编写本指南,以供设计单位和有关部门参考。

1.0.2 凡利用外资进行国际招标的水利工程项目,设计单位根据批准的初步设计文件和全内资概算,以及利用外资可行性研究报告等资料,参考本指南编制国际招标工程概算。

1.0.3 国际招标工程概算是在全内资概算的基础上编制的,其设计深度、价格水平年,应与全内资概算保持一致。

1.0.4 水利国际招标工程概算批准后替代全内资概算,可作为国家控制工程投资、编制招标标底、考核工程造价经济合理性的主要依据。

1.0.5 本指南适用于利用外资进行国际招标的大中型水利工程项目。

1.0.6 利用外资进行国际采购材料、设备、施工机械的水利工程项目,其概算编制方法,可参照《水利水电工程利用外资概算编制办法》(采购型)执行。

1.0.7 本指南解释权归水利部水利建设经济定额站。

2.编制依据

2.0.1 国家的有关政策和法令。

2.0.2 《水利国际招标工程概算编制方法指南》。

2.0.3 国际金融组织的咨询导则。

2.0.4 《水利建筑工程概算定额》；

《水利水电设备安装工程概算定额》；

《水利工程施工机械台时费定额》；

《水利工程设计概(估)算编制规定》。

以下简称《水利工程系列定额》和《编制规定》。

2.0.5 初步设计文件及全内资概算。

2.0.6 利用外资可行性研究报告。

2.0.7 有关合同、协议等。

3.组成内容

3.1 编制说明

3.1.1 工程概况

工程所在地点,河系、河流,工程规模,工程效益,工程布置形式,主体建筑工程量,主要材料用量,水库淹没耕地及移民数量,施工总工时和高峰人数等。

3.1.2 外资投向

(1)利用外资进行国际招标的工程项目；

(2)利用外资进行国际采购的材料及设备的名称和数量。

3.1.3 编制依据

3.1.3.1 国际招标工程概算编制原则和依据

(1)劳务工资参考标准及计算成果;

(2)进口材料、设备、施工机械价格的来源和依据,国产材料、设备、施工机械价格的来源和依据;

(3)施工机械台时费参考标准及计算方法;

(4)间接费、其他费用计算依据或参考标准。

3.1.3.2 国内招标工程概算编制原则和依据

(1)采用的《水利工程系列定额》及《编制规定》;

(2)其他。

3.1.4 投资主要指标

工程静态总投资和总投资;资金来源及外资贷款额度、汇率等;基本预备费费率;内、外资年物价上涨指数、融资利率和建设期融资利息等。

3.1.5 主要技术经济指标特性表

主要技术经济指标特性表

工程所在地		
河系、河流		
建设单位		
设计单位		
水库	正常蓄水位	m
	总库容	亿 m³

主要技术经济指标特性表(续表)

总投资			万元
	其中	人民币:	万元
		外币:	万元
拦河坝	型式		
	最大坝高		m
	坝顶长度		m
	坝顶高程		m
隧洞	型式		
	断面尺寸		m
	长度		m
	最大泄量		m³/s
溢洪道	型式		
	孔数		孔
	孔口尺寸		m×m
	最大泄量		m³/s
发电厂	型式		
	厂房尺寸		m
	单机容量×台		MW
	保证出力		MW
	年利用小时		h

主要技术经济指标特性表(续表)

施工人数	高峰人数		人
	平均人数		人
	总工时		万工时
主要材料用量	水泥		万 t
	钢材		万 t
	油料		万 t
	木材		万 m^3
主要工程量	土方开挖		万 m^3
	石方开挖		万 m^3
	土方填筑		万 m^3
	石方填筑		万 m^3
	干、浆砌石		万 m^3
	混凝土		万 m^3
	帷幕灌浆		m
	固结灌浆		m
效益	防洪		
	年供水量		万 m^3
	灌溉		万亩
	年发电量		亿 kWh
淹没	迁移人口		人
	淹没耕地		亩
总工期			年

3.2 概算表

3.3 附件

4.项目划分和构成

4.1　项目划分

　　项目划分为工程部分、移民和环境部分、工程投资总计。下设一、二、三级项目。一、二级项目划分同《编制规定》,三级项目根据工程实际情况确定。

4.2　项目构成

Ⅰ.工程部分

第一部分　建筑工程

第二部分　机电设备及安装工程

第三部分　金属结构设备及安装工程

第四部分　施工临时工程

第五部分　独立费用

一至五部分投资合计

基本预备费

静态总投资

价差预备费

建设期融资利息

总投资

Ⅱ.移民和环境部分

一、水库移民征地补偿

二、水土保持工程

三、环境保护工程

Ⅲ.工程投资总计(Ⅰ+Ⅱ)

静态总投资

总投资

4.2.1　工程部分

4.2.1.1　建筑工程

(1)将国际招标与国内招标的工程项目,分别列项计算。

(2)国际招标的工程项目,其工程单价及投资合计中,均应分别以外币和人民币计列。国内招标的工程项目,其工程单价及投资合计,均以人民币计列。

4.2.1.2 机电设备及安装工程

(1)利用外资进行国际采购的机电设备,其设备费分别以外币和人民币计列。

(2)由外国承包商承包安装的工程项目,其安装费分别以外币和人民币计列。

(3)由国内承包商承包安装的工程项目,其安装费以人民币计列。

4.2.1.3 金属结构设备及安装工程

(1)随建筑工程一起由外国承包商承包安装的工程项目,其设备费和安装费均应分别以外币和人民币计列。

(2)由国内承包商承包安装的工程项目,其安装费以人民币计列。

4.2.1.4 施工临时工程

(1)主要项目为国内承包商施工的场内外交通工程(公路、桥梁等)、导流工程、施工供电工程、施工房屋建筑工程及其他施工临时工程。

(2)外国承包商承包的工程,其间接费中已包括的临时工程及管理人员、劳务人员生活办公用房、车间、仓库等项,不列入此项。

4.2.1.5 独立费用

(1)国际招标的工程或国内招标的工程,均计列建设管理费、生产准备费、科研勘测设计费、建设及施工场地征用费、工程定额测定费、工程质量监督费及其他税费。

(2)国内招标的工程应计工程保险费。

(3)国际招标的工程,计列咨询费、技术资料费和培训费。

4.2.1.6 基本预备费、价差预备费、建设期融资利息和承诺费、银行手续费几项费用,按有关规定计算,分别以外币和人民币计列。

4.2.2 移民和环境部分

4.2.2.1 项目划分按照水利部新颁布的《水利水电工程建设征地移民设计规范》、《水土保持工程概(估)算编制规定及定额》和国家环境保护局、水利部发布的《环境影响评价技术导则——水利水电工程》的要求计列。

4.2.2.2 利用外资时,其投资应分别以外币和人民币计列。

4.2.3 工程投资总计

指工程部分、移民和环境部分投资之和,分别以外币和人民币计列。

5.国际招标工程概算编制方法

5.1 编制国际招标工程概算的基本原则

利用外资的水利工程,概算需分国际招标工程和国内招标工程两部分进行编制。国际招标工程,按照国际惯例采用的总量法计算投资;国内招标工程,计算方法同全内资概算。

5.2 国际招标工程概算的编制方法

5.2.1 劳务工资单价

5.2.1.1 劳务工资单价等级划分

劳务工资分为五级,以人民币计列。

一级工为非熟练工或普工;

二级工为半熟练工;

三级工为熟练工;

四级工为高级熟练工;

五级工为工长。

5.2.1.2 劳务工资组成内容

(1)直接付给工人的工资:包括基本工资、地区津贴、施工津贴、夜餐津贴、节日加班津贴。

(2)提供劳务的单位提成部分:包括职工福利基金、工会经费、劳动保护费、养老保险费、医疗保险费、工伤保险费、失业保险基金、住房公积金及管理费等。

5.2.1.3 计算标准,根据编制年的费用标准计算。

5.2.2 水、电价格

计算方法同全内资概算。

5.2.3 风价

国际招标工程的供风机械设备,含在主体建筑工程的直接费用中,不再单独计算风价。

5.2.4 砂石料价格

国际招标工程需要的砂石料,一般情况下由外国承包商负责开采加工,其计算方法同主体建筑工程的总量法。

5.2.5 材料预算价格

5.2.5.1 国产材料预算价格计算方法,同全内资概算。

5.2.5.2 进口材料预算价格,由材料原价、国内运杂费、保险费、采购及保管费四项组成。

(1)原价,包括到岸价、关税、增值税、进口代理手续费、银行手续费、商检费、港口费等。若报价为离岸价,应计入海运费、海洋运输保险费。

离岸价、海运费、海洋运输保险费以外币计列。

关税、增值税、手续费、商检费、港口费等,按有关规定计算,以人民币计列。

(2)国内运杂费,指从进口口岸运至工地分仓库的运杂费用。计算方法及运价率同全内资概算,以人民币计列。

(3)保险费,指国内段的材料运输险,按有关规定计算,以人民币计列。

(4)采购及保管费,指采购及保管材料过程中在国内发生的费用,以人民币计列。

采购及保管费 = 外币部分(到岸价)×1% + 人民币部分(关税、增值税、手续费、商检费、港口费及国内运杂费等)×3%

5.2.6 施工机械台时费

国际招标工程需用的施工机械,若外国承包商从国外进口一部分到国内,其台时费应按照编制年国际上的参考资料计算。

内容包括：

(1)折旧费，按国际采购施工机械离岸价格计算，以外币计列。

(2)修理费，指修理机械需要的工时，考虑由劳务人员修理，以人民币计列。

(3)备件，考虑易损件从国外进口，以外币计列。

(4)燃料等，由国内供应，以人民币计列。

5.2.7 建筑工程直接费计算方法

5.2.7.1 直接费的内容，包括完成某一工程项目所耗用的人工、材料、施工机械等费用。

5.2.7.2 国际惯例通常采用两种方法计算工程直接费。第一种，总量法；第二种，单价法。

总量法，主要用于主体工程的直接费计算。例如，坝基土石方开挖、坝体混凝土浇筑等工程项目。这种方法是根据施工组织设计所选用的施工机械、配备的劳力、耗用的材料等资料，计算出工程直接费和工程单价。

单价法，参考定额计算工程单价。这种方法适用于在整个工程中不控制工期、所占比重较小的项目。

5.2.8 间接费组成内容及计算方法

5.2.8.1 外籍管理人员工资

(1)根据工程项目的施工场面、进度安排，测算外籍管理人员进行管理工作的人月数。

(2)确定编制年外籍管理人员不同级别的月薪标准

和在工地的生活补贴标准。月薪以外币计列，生活补贴以人民币计列。

5.2.8.2　中方管理人员工资

(1)国际招标工程，一般情况外国承包商中标后，在当地招聘一部分管理人员，尽量减少外籍管理人员人数，以节约开支。因此，需根据工程项目的施工场面、进度安排，测算中方管理人员进行管理工作的人月数。

(2)确定编制年中方管理人员月薪，以人民币计列。

5.2.8.3　外籍管理人员营地费

(1)内容包括外籍管理人员的公寓、文化生活、娱乐场所等建筑工程及室内设备费用。

(2)根据外籍管理人员的人月数和工期，确定高峰期外籍管理人员的人数，按平均每人 $50\sim70m^2$ 建筑面积计算。

(3)土建工程费用以人民币计列。

(4)室内设备费用以外币或人民币计列。

5.2.8.4　工地办公室费用

(1)包括外籍管理人员和中方管理人员的办公室、办公设施及办公用品等费用。

(2)根据外籍管理人员和中方管理人员人数，按平均每人 $10\sim14m^2$ 建筑面积计算。

(3)土建工程费以人民币计列。

(4)办公设施费以外币或人民币计列。

(5)办公用品费以人民币计列。

5.2.8.5　中方管理人员及劳务人员营地费

(1)包括中方管理人员和劳务人员的宿舍、文化福利建筑设施。

(2)根据中方管理人员和劳务人员的人数,按平均每人 $12\sim15m^2$ 建筑面积计算。

(3)土建工程费以人民币计列。

(4)室内设施费以人民币计列。

5.2.8.6 车间、仓库、加工厂

(1)包括承包商的各类车间、加工厂、仓库、试验室等土建、设备安装工程及运行费。

(2)由施工组织设计确定各类仓库、加工厂、车间的建筑面积。

(3)根据对各类房屋的要求,考虑施工年限合理确定单位造价指标。土建工程费以人民币计列。

(4)车间、加工厂、仓库、试验室内的机械设备费及运行费,根据工程规模、工期计算,以外币或人民币计列。

5.2.8.7 场内道路

(1)指由承包商负责修建的施工场内的临时道路和营地内道路。

(2)根据施工场地布置和运输强度确定道路长度、等级以及单位造价指标。费用以人民币计列。

5.2.8.8 车辆设备费及运行费

(1)包括外籍管理人员和中方管理人员使用的车辆购置费及运行费。

(2)根据管理人员的人数及工期,确定各种车辆的数量及运行时间。

(3)按一部分进口车辆,一部分国产车辆计算购置费,原则上均以人民币计列。

(4)车辆运行费用,根据运行台时数计算修理费及燃料等费用,以人民币计列。

5.2.8.9 水、电、通信费用

包括外籍管理人员、中方管理人员和劳务人员的生活用水、用电及通信费用(包括国际通信),以人民币计列。

5.2.8.10 海运费、关税、国内段运杂费等费用

(1)指承包商从国外进口的施工机械所发生的海运费、海洋运输保险费、关税、增值税及手续费、商检费、港口费、国内段的运杂费等。

(2)海运费以施工机械的重量、体积及有关规定计算,以外币计列。

(3)海洋运输保险费、关税、增值税、手续费、商检费、港口费,按有关规定计算。海洋运输保险费以外币计列,其余各项均以人民币计列。

(4)国内段运杂费,可根据工地到某港口的铁路、公路里程进行计算,以人民币计列。

(5)一般只计列运到国内的费用,不计列返回的费用。

(6)若承包商不从国外进口施工机械,不计此项费用。

5.2.8.11 人员进出场费

(1)指外籍人员、中方管理人员及劳务人员,从原单位到工地及完工后回到原单位所需的差旅费。

(2)根据外籍人员、中方管理人员、劳务人员的人数及编制年费用指标,计算进出场费,分别以外币和人民币计列。

5.2.8.12 保险费,指承包商缴纳的建安工程险、第三者责任险、雇主责任险等保险费,约占总报价的0.4%～0.5%,分别以外币和人民币计列。

5.2.8.13 税金,指承包商向中国政府缴纳的税金。按有关规定计算,以人民币计列。

5.2.8.14 财务费用(含保函手续费等),约占总报价的0.3%～0.5%,分别以外币和人民币计列。

5.2.8.15 利润及风险,约占总报价的10%,分别以外币和人民币计列。

5.2.8.16 总部管理费,约占总报价的3%～4%,以外币计列。

5.2.9 机电设备及安装工程

5.2.9.1 设备费

(1)国产机电设备原价、运杂费、运输保险费、采购及保管费,均同全内资概算。

(2)进口机电设备原价的组成内容同进口材料所列项目。包括到岸价、关税、增值税、进口代理手续费、银行手续费、商检费、港口费。

若报价为离岸价,应计入海运费、海洋运输保险费。

离岸价、海运费、海洋运输保险费,以外币计列。

关税、增值税、手续费、商检费、港口费,按有关规定计算,以人民币计列。

(3)进口设备国内运杂费,指设备从进口口岸到安装现场所需的运杂费,以人民币计列。

计算方法:根据"运输方式"按《编制规定》中规定的运杂费费率乘相同型号的国产设备原价计算。

(4)进口设备保险费,指设备从进口口岸到安装现场的运输险,按有关规定计算,以人民币计列。

(5)进口设备采购及保管费,指采购及保管过程中在国内发生的费用,以人民币计列。

$$采购及保管费 = 外币部分(到岸价) \times 0.3\% + 人民$$
$$币部分(关税、增值税、手续费、商检$$
$$费、港口费、国内运杂费) \times 0.7\%$$

5.2.9.2　安装费

(1)由国内施工企业负责安装的工程,按现行《水利水电设备安装工程概算定额》计算安装费;进口设备的安装费以安装费费率计算时,乘相同型号的国产设备原价计算。

(2)由外国承包商负责安装的工程,安装费按占设备费的百分率计算,或参考现行《水利水电设备安装工程概算定额》计算。

5.2.10　金属结构设备及安装工程

编制方法同机电设备及安装工程。

5.2.11 独立费用

5.2.11.1 建设管理费,以人民币计列。

(1)建设单位定员:利用外资进行国际招标的工程,可在《编制规定》确定人数的基础上增加30%～50%。

(2)开办费、经常费、监理费标准同全内资概算,人数按新增加人数计算。

(3)联合试运转费,同全内资概算。

5.2.11.2 生产准备费,以人民币计列。

(1)生产及管理单位提前进场费、生产职工培训费、管理用具购置费,同全内资概算。

(2)国产机组及设备,按有关规定计算备品备件购置费。进口机组一般都含备品备件,故进口机组设备费不再作为计算备品备件购置费的基数。

(3)工器具及生产家具购置费,按规定以设备费的百分率计算。其中,进口设备价格按50%计。

5.2.11.3 科研勘测设计费,以人民币计列。

(1)工程科学研究试验费、勘测费同全内资概算。

(2)设计费按有关规定计算。

5.2.11.4 建设及施工场地征用费,同全内资概算。

5.2.11.5 工程保险费,按国内招标工程一至四部分投资合计的百分率计算;工程定额测定费、工程质量监督费,按国内招标工程建安量及国际招标工程建安量的50%计算。这几项费用均以人民币计列。

5.2.11.6 其他税费,按有关规定计算。以人民币计列。

5.2.11.7 咨询费,包括国内外专家进行技术咨询工作,按合同规定需支付的咨询费、交通费、食宿费、办公或会议费等。可估算中、外专家人数、天数,按编制年的费用标准计算。分别以外币和人民币计列。

5.2.11.8 培训费,指建设单位需要派员出国考察、培训所需的费用。可按出国人数、天数、地点和有关规定标准计算。分别以外币和人民币计列。

5.2.11.9 技术资料费,指购买、翻译、复制国外技术资料所需的费用。可按利用外资额度的 0.1‰~0.2‰ 计算,以外币计列。

5.2.12 预备费

5.2.12.1 基本预备费,按《编制规定》及有关规定计算。

5.2.12.2 价差预备费,按有关规定计算。

5.2.13 建设期融资利息及承诺费、银行手续费

5.2.13.1 内资利息,按编制年国内银行规定年利率计算。

5.2.13.2 外资利息,按编制年贷款银行规定年利率计算。

5.2.13.3 承诺费、银行手续费

(1)利用世界银行硬贷款,需缴纳承诺费;利用世界银行软贷款不计利息,需缴纳承诺费、手续费。

(2)承诺费,费率按有关规定。计算方法:分年度计算。

承诺费＝(贷款总额－当年和前几年贷款额之和)×费率

(3)银行手续费,费率按有关规定。计算方法:分年度计算。

银行手续费＝当年贷款额×费率

5.3 **国内招标工程的概算编制方法及内容,按照《编制规定》执行。**

5.4 **移民和环境部分**

按照水利部新颁布的《水利水电工程建设征地移民设计规范》、《水土保持工程概(估)算编制规定及定额》和国家环境保护局、水利部发布的《环境影响评价技术导则——水利水电工程》执行。

6. 表　格

6.1　填表说明

6.1.1　各表工程项目名称栏的填列,与全内资概算一致。如全内资概算填列到三级项目,国际招标工程概算亦填列到三级项目。

6.1.2　各表人民币单位与全内资概算一致。以元为单位时取整数,以万元为单位时取两位小数。

6.1.3　在一个概算表中,人民币以元为单位时,美元以美元、日元以百日元、德国马克以马克为单位;人民币以万元为单位时,美元以万美元、日元以百万日元、德国马克以万马克为单位。

6.1.4 使用两种或两种以上外币的利用外资工程项目,其概算中,外币以一种货币表示。

6.1.5 表一至表十二列入设计概算文件;附表一至附表十列入概算附件。

6.1.6 国内招标工程计算风、水、电价的表格同全内资概算,应在概算附件中一并列入,现省略。

6.2 表格样式

总概算表

表一　　　　　　　　　　　　　　单位: 人民币/外币　折合人民币

序号	工程或费用名称	建安工程费		设备购置费		独立费用		合计		折合人民币
		外币	人民币	外币	人民币	外币	人民币	外币	人民币	

建筑工程概算表

表二　　　　　　　　　　　　　　　　　单位: 人民币/外币

序号	工程或费用名称	单位	数量	单价		合计	
				外币	人民币	外币	人民币

设备及安装工程概算表

表三
单位：人民币
外币

序号	名称及规格	单位	数量	单价				合计			
				设备费		安装费		设备费		安装费	
				外币	人民币	外币	人民币	外币	人民币	外币	人民币

分年度投资表

表四
单位：人民币
外币

序号	工程或费用名称	第一年		第二年		…		合计	
		外币	人民币	外币	人民币	外币	人民币	外币	人民币

建设期资金流量表

表五
单位：人民币
外币

序号	工程或费用名称	第一年		第二年		…		合计	
		外币	人民币	外币	人民币	外币	人民币	外币	人民币

填表说明：

1. 支付"预付款"和"偿还保留金"项内应加"＋"号；

2. "扣回预付款"和扣留"保留金"项内应加"－"号。

建筑工程单价汇总表

表六   单位：人民币
                                                      外币

序号	工程项目名称	单位	单价		备注
			外币	人民币	

安装工程单价汇总表

表七   单位：人民币
                                                      外币

序号	名称及规格	单位	单价		备注
			外币	人民币	

施工机械台时费汇总表
（国际招标工程）

表八(1)   单位：人民币
                                                      外币

序号	名称及规格	台时费		其中			
		外币	人民币	外币		人民币	
				折旧	备件	维修	燃料、动力等

施工机械台时费汇总表

（国内招标工程）

表八（2）   单位：人民币

序号	名称及规格	台时费	其中				
			折旧费	修理及替换设备费	安拆费	人工费	动力燃料费

材料预算价格汇总表

表九   单位：人民币 / 外币

序号	名称及规格	单位	预算价格		其中				
					原价		运杂费	保险费	采购保管费
			外币	人民币	外币	人民币	人民币	人民币	人民币

主要工程量汇总表

表十

序号	工程项目名称	土方开挖（m³）	石方开挖（m³）		土石填筑（m³）	混凝土（m³）	模板（m²）	砌石（m³）	帷幕灌浆（m）	固结灌浆（m）
			明挖	洞挖						

主要材料量汇总表

表十一

序号	工程项目名称	水泥 (t)	钢筋 (t)	钢材 (t)	木材 (m³)	炸药 (t)	沥青 (t)	粉煤灰 (t)	汽油 (t)	柴油 (t)

工时数量汇总表

表十二　　　　　　　　　　　　　　　　　　　　　　单位:工时

序号	工程项目名称	工时数量	备注

注:工时数量统计到项目划分中一级项目的合计工时。

人工工资单价计算表

附表一(1)　　　　　国际招标工程劳务工资单价计算表

地区类别		劳务工资等级	
序号	项目	计算公式	单价(元/工时)

附表一（2）　　　　　国内招标工程人工预算单价计算表

地区类别		定额人工等级	
序号	项目	计算公式	单价(元/工时)

进口材料国内段运杂费用计算表

附表二　　　　　　　　　　　　　　　　　　　　　　　　单位：人民币

编号	1	2	3	4	5	材料名称				材料编号	
交货条件						运输方式	火车	汽车	船运	火车	
交货地点						货物等级				整车	零担
交货比例（%）						装载系数					
编号	运输费用项目		运输起止地点		运输距离（km）	计算公式				合计（元）	

进口材料预算价格计算表

单位：人民币
外币

	材料名称						
	规格及型号						
	单位						
	进口国						
	单位毛重						
原价	到岸价	外币					
	关税	人民币					
	增值税	人民币					
	进口代理手续费	人民币					
	银行手续费	人民币					
	商检费	人民币					
	港口费	人民币					
	运杂费(国内段)	人民币					
	保险费	人民币					
	采购保管费	人民币					
	预算价格	外币					
		人民币					

进口设备预算价格计算表

单位：人民币
外币

设备名称							
规格及型号							
单位							
进口国							
原价	到岸价	外币					
	关税	人民币					
	增值税	人民币					
	进口代理手续费	人民币					
	银行手续费	人民币					
	商检费	人民币					
	港口费	人民币					
运杂费(国内段)		人民币					
保险费		人民币					
采购保管费		人民币					
预算价格		外币					
		人民币					

国际招标工程直接费计算表

附表五(1)　　　　　　　　人工费计算表　　　　　　　　单位：人民币／外币

序号	项目	单位	数量	单价		合计	
				外币	人民币	外币	人民币

附表五(2)　　　　　　　　机械费计算表　　　　　　　　单位：人民币／外币

序号	项目	单位	数量	单价		合计	
				外币	人民币	外币	人民币

附表五(3)　　　　　　　　材料费计算表　　　　　　　　单位：人民币／外币

序号	项目	单位	数量	单价		合计	
				外币	人民币	外币	人民币

国际招标工程间接费计算表

附表六

单位:人民币
外币

序号	费用名称	计算公式	外币	人民币

填表说明:

本表填列国际招标工程间接费内容的计算情况。

例如:外籍管理人员工资计算;中方管理人员工资计算;管理人员及劳务人员的营地建设费等项的计算。

国内招标工程建筑工程单价表

附表七

定额编号: 　　　　　　　　　　　　定额单位:

施工方法:					
编号	名称	单位	数量	单价(元)	合计(元)

国内招标工程安装工程单价表

附表八

定额编号: 　　　　　　　　　　　　定额单位:

型号规格:					
编号	名称	单位	数量	单价(元)	合计(元)

各项费用计算表

单位：人民币
                                                                         外币

序号	费用名称	计算公式	外币	人民币

填表说明：

本表填列建设管理费、生产准备费、科研勘测设计费、咨询费、培训费、技术资料费等项的费用计算内容。

建设期内、外资融资利息计算表

附表十

年份	融资额度	建设期融资利息					
		年	年	年	年	年	合计（元）
…							
…							
…							
…							
合计							

填表说明：

1. 注明各年度利率；

2. 外资、内资融资利息分表计列。